La revanche des roux

Une histoire écrite par
Marie Christine Hendrickx

et illustrée par
Mika

À Judy et sa fille Daphnée,
à mes neveux Pierre et Mathilde.
Marie Christine

Pour Florence, la plus adorable des rouquinettes!
Mika

Cheval masqué
Au trot

Catalogage avant publication de Bibliothèque et Archives nationales du Québec et Bibliothèque et Archives Canada

Hendrickx, Marie Christine

La revanche des roux

(Cheval masqué. Au trot)
Pour enfants de 6 à 10 ans.

ISBN 978-2-89579-749-4

I. Mika, 1982 juillet 9-   . II. Titre. III. Collection: Cheval masqué. Au trot.

PS8615.E534R48 2016   jC843'.6   C2015-942098-9
PS9615.E534R48 2016

Dépôt légal – Bibliothèque et Archives nationales du Québec, 2016
Bibliothèque et Archives Canada, 2016

Direction éditoriale: Thomas Campbell, Gilda Routy
Révision: Sophie Sainte-Marie
Mise en pages: Janou-Ève LeGuerrier

© Bayard Canada Livres inc. 2016

Financé par le gouvernement du Canada
Funded by the Government of Canada | Canada

Nous reconnaissons l'aide financière du gouvernement du Canada
par l'entremise du Fonds du livre du Canada (FLC) pour des activités
de développement de notre entreprise.

 Conseil des arts   Canada Council
du Canada   for the Arts

Nous remercions le Conseil des arts du Canada de l'aide
accordée à notre programme de publication.

Cet ouvrage a été publié avec le soutien de la SODEC. Gouvernement du Québec –
Programme de crédit d'impôt pour l'édition de livres – Gestion SODEC.

 Bayard Canada Livres
4475, rue Frontenac, Montréal (Québec) H2H 2S2
edition@bayardcanada.com
bayardlivres.ca

Imprimé au Canada

Offert en version numérique
 978-2-89770-016-4
bayardlivres.ca

CHAPITRE 1

Le nouveau

— Y a-t-il quelque chose qui ne va pas, ma chérie?

Mathilde s'affale sur le sofa avant de répondre:

— Il y a un nouveau dans la classe.

— Ah oui? Et il est comment?

— Roux!

Sa mère la regarde d'un air étonné:

— Et alors? Ce n'est pas une maladie, tu es bien placée pour le savoir!

Mathilde explose:

— Oui, mais, moi, on m'avait presque oubliée. À cause du nouveau, on ne va plus me laisser tranquille. Cet idiot de Frank a même dit: «On a maintenant un joli couple d'écureuils dans la classe!»

—Ce n'est pas si grave, répond sa mère.

La colère de Mathilde redouble :

— Tu ne comprends jamais rien !

D'un bond, elle se lève pour aller s'enfermer dans sa chambre.

Mathilde est rousse. Une vraie de vraie. Depuis son entrée à l'école primaire, elle ne supporte plus qu'on lui parle de ses cheveux. Elle les attache toujours, sans la moindre mèche en liberté.

Dans sa chambre, Mathilde vide son sac d'école et elle trouve un mot plié dans son agenda. Elle reconnaît l'écriture de son amie Daphnée. Le message est clair :

Tu ne vas pas te laisser abattre par ces niaiseries !

CHAPITRE 2

Il faut faire quelque chose

Le lendemain, Mathilde aperçoit Pierre, le nouveau, dans la cour de l'école. On dirait Ron Weasley, l'inséparable ami d'Harry Potter. En passant devant elle, Pierre la salue d'un signe de tête.

À la récréation, Mathilde discute avec ses amies. À l'autre bout de la cour, Pierre s'entraîne au basket-ball avec Pablo, son voisin de bureau. Mathilde aime bien Pablo. Il est sérieux et un peu timide.

Soudain, Frank et sa bande s'approchent des deux garçons. Pablo arrête de dribler. Pierre continue de

lancer son ballon dans le panier comme
si de rien n'était.

Daphnée a remarqué la scène, elle
aussi. Elle ordonne aux filles:

— Suivez-moi.

Frank a l'air surpris de les voir arriver
en groupe.

— Est-ce qu'il y a quelque chose
d'intéressant ici? interroge Daphnée.

— Demande à Frank, répond Pierre.

Frank ricane bêtement avant de s'éloigner. Daphnée a un sourire de triomphe. Pas étonnant qu'elle ait été élue présidente de classe pour une deuxième année!

Pierre se tourne alors vers Mathilde:

— J'en ai assez. Dans mon ancienne école, on m'appelait « Poil de carotte ». Je n'ai vraiment pas envie que ça recommence. On doit faire quelque chose.

Comme la cloche se met à sonner, Daphnée propose:

— On en discutera demain. Rendez-vous à la même heure, sur le banc.

Mathilde croit rêver: Pierre est roux et pense qu'il y a quelque chose à faire!

CHAPITRE 3

Une super idée!

Le lendemain, Daphnée, Mathilde et Pierre se retrouvent comme prévu. Il y a aussi Nico. C'est Daphnée qui l'a invité. Tout le monde le connaît. Il est en cinquième année, il est rond, drôle, et il a de belles boucles rousses.

Sa mère travaille à la cantine de l'école secondaire, là où enseigne celle de Mathilde.

— On se venge! s'emporte Nico. On attrape Frank et on peint ses cheveux en rouge!

Tous éclatent de rire. C'est la première fois qu'ils voient Nico se fâcher comme ça.

Pierre explique:

— Ceux qui se moquent de nous ont un seul but: nous forcer à entrer dans une coquille, nous obliger à marcher la tête basse en rasant les murs, comme si on n'avait pas le droit d'exister. On ne doit pas se laisser faire. Au contraire, il faut qu'on s'affirme.

— On pourrait fonder un club ? suggère Nico.

— Et on ferait quoi ? demande Mathilde en haussant les épaules. On chercherait des noisettes pour nos provisions d'hiver, comme des écureuils ?

Daphnée enchaîne :

— Ça me donne une idée… Si on lançait un appel à tous les roux de la ville pour se retrouver quelque part ?

— Oh oui, dit Nico. On irait tous ensemble au Parc-en-Folie!

Il s'agit du grand parc d'attractions de la ville. Il a été fermé pour des rénovations, mais il doit bientôt rouvrir ses portes. Voilà une super idée!

Daphnée s'écrie alors:

— Pablo! Son père travaille pour le Parc-en-Folie. Il pourrait avoir des billets gratuits. Ça ferait de la publicité!

Les quatre amis sont emballés. Mathilde s'inquiète quand même un peu: est-ce que Pablo a envie d'être mêlé à cette affaire? Nico, lui, est déjà prêt à embarquer dans le Titan, le manège le plus rapide du parc.

— Et ceux qui sont roux et gros, est-ce qu'ils pourraient avoir deux billets gratuits? demande-t-il.

Ce à quoi Daphnée répond en riant:

— Et même un troisième si tu es bête en plus!

CHAPITRE 4

Journaliste recherché

Trois jours plus tard, les amis se réunissent chez Mathilde.

Pablo arrive le dernier, tout essoufflé. Il est passé chez lui et il a des nouvelles à partager:

— Mon père a parlé à son patron. Il est d'accord pour une journée gratuite.

À cette annonce, Daphnée et Nico poussent des cris de joie et ils se tapent dans les mains. Pierre affiche un grand sourire. Mathilde est impressionnée, elle trouve que Pablo est drôlement débrouillard.

— Mais il y a une condition, précise Pablo. Il doit y avoir un journaliste sur les lieux.

Le calme revient et, avec lui, un peu d'inquiétude.

— On va en trouver un! assure Daphnée.

Après avoir cherché les coordonnées du journal, Pierre s'isole pour téléphoner. Il revient en soupirant:

— Ce n'est pas gagné, la secrétaire a dit qu'il y avait beaucoup d'événements au printemps. Elle a noté mon numéro, mais elle ne m'a pas donné beaucoup d'espoir.

Tout le monde est déçu. Pablo a un air coupable, comme si c'était sa faute. Même Daphnée-la-battante semble découragée.

Quand les amis de Mathilde sont partis, sa mère insiste pour savoir ce qui se passe. Elle a bien vu que quelque chose ne va pas. Mathilde finit par tout lui raconter. Sa mère l'écoute jusqu'au bout avant de s'écrier:

— Votre idée est géniale!

CHAPITRE 5

De l'Irlande au Québec

Une semaine plus tard, c'est le jour de la présentation orale de Mathilde sur un sujet de son choix. Elle a beaucoup hésité avant de choisir son sujet. Ses parents l'ont aidée.

Mathilde est debout face à la classe.
Pour se donner du courage, elle fixe
son regard sur Daphnée. Elle prend une
grande inspiration et elle se lance:

— Irlandaise, rousse et fière de l'être.

Silence dans la classe. Mathilde
commence à raconter:

— Mon arrière-arrière-arrière-grand-père s'appelait Jamie O'Brian. Il est venu au Québec en 1848 avec son père, en même temps que des milliers d'autres Irlandais qui fuyaient la misère et la famine.

Sur une carte, Mathilde trace une route maritime entre l'Irlande et Grosse Île, sur le fleuve Saint-Laurent, là où les bateaux étaient arrêtés, et les passagers, mis en quarantaine*.

* Mis à l'écart durant une certaine période pour empêcher la transmission de maladies contagieuses.

Mathilde continue :

— Les conditions de vie sur les bateaux étaient épouvantables, et le père de Jamie est mort à son arrivée à Grosse Île. Jamie était seul au monde. Il a été adopté par une famille de la région et il a pu garder son nom. Avec le temps, le nom O'Brian est devenu Aubry, comme le mien : Mathilde Aubry.

Pour finir, Mathilde présente un tampon encreur en forme de trèfle à trois feuilles, le symbole de l'Irlande.

Elle entend alors un premier applaudissement, suivi d'autres.

Son enseignante la félicite :

— Tu as choisi un sujet personnel qui aide à comprendre l'histoire du continent américain. Bravo !

Mathilde retourne à son bureau. Sa voisine Sarah lui emprunte le tampon encreur et le fait circuler.

Bientôt, la moitié des élèves de la classe affichent le symbole de l'Irlande sur leur main ou leur bras.

— C'était vraiment bien, dit Pierre. Tu as raison d'être fière.

Quand elle sort de la classe, Mathilde n'a plus peur de croiser Frank.

De retour à la maison, sa mère l'attend avec impatience :

— J'ai trouvé un journaliste ! Il s'appelle Steve Pépin.

Mathilde n'en croit pas ses oreilles.

— C'est grâce à la mère de Nico. Elle a en a parlé à tout le personnel de l'école. Finalement, monsieur Jacquet, l'orienteur, nous a donné le numéro d'un journaliste. Je lui ai téléphoné et il a accepté !

Mathilde saute au cou de sa mère pour l'embrasser.

Puis elle se dépêche d'informer Daphnée. Mais Nico a été plus rapide. Tous sont déjà au courant.

Dans les jours suivants, le message circule sur les réseaux sociaux:

 Parc-en-Folie
publié il y a 53 minutes

Vous êtes roux ou rousse? Ce message est pour vous. **Rendez-vous le samedi 15 avril, à 10 heures,** à l'entrée du **Parc-en-Folie** pour une journée délirante et GRATUITE!

CHAPITRE 6

De la folie et du délire

Le jour J arrive enfin.

Pour marquer cette journée pas comme les autres, Mathilde a renoncé à sa queue de cheval. Ses cheveux tombent joliment sur ses épaules. Entourée de ses parents, elle est un peu nerveuse. Y aura-t-il du monde au rendez-vous?

Et s'il n'y a que trois ou quatre personnes, est-ce que ça fera une nouvelle pour le journal?

Pierre est déjà là avec ses parents et son petit frère, ainsi que Nico et sa mère.

Daphnée arrive peu après, elle est méconnaissable.

Sacrée Daphnée! Elle n'a pas hésité à se teindre les cheveux en rouge!

La mère de Mathilde a repéré Steve Pépin, le journaliste. Il est roux, lui aussi, et il a l'air ravi d'être là.

— D'habitude, explique-t-il, je couvre les nouvelles sportives, mais votre idée m'a beaucoup plu! Je pourrais tout de suite faire une entrevue. Qui veut commencer?

— Moi, dit Nico, j'ai plein de choses à vous raconter!

À l'entrée du parc, des jeunes et des parents avec des enfants continuent d'arriver.

La mère de Mathilde reconnaît deux élèves de son école secondaire.

Bientôt, toute la palette des roux est représentée : orange, auburn, cuivre, acajou et même rouge flamboyant. Ça fait un joli tableau !

Il y a aussi des personnes déguisées : Obélix, Tintin, Spirou, quelques sorcières et un père Noël sont au rendez-vous.

Pablo et son père arrivent à leur tour, accompagnés du directeur du parc. À l'aide d'un porte-voix, ce dernier prend la parole :

— Bienvenue à tous en cette journée spéciale !

Des cris et des applaudissements se font entendre.

—Vous avez répondu à cette invitation, car vous êtes fiers d'afficher vos couleurs!

Les cris redoublent. On voit des pancartes s'agiter dans les airs.

Roux et fier!

Vive la différence!

Puis le directeur distribue les billets gratuits, ce qui lui vaut une véritable ovation. Pour un peu, on croirait que c'est son idée.

Le groupe franchit les portes du parc et se dirige vers les montagnes russes pour une séance de photos. Comme des vedettes, Mathilde et ses amis embarquent les premiers. Steve prend cliché sur cliché. Mathilde rit en imaginant la tête de Frank quand il découvrira les photos dans le journal!

Tandis que les wagons se mettent en mouvement et accélèrent, Mathilde sent ses cheveux flotter au vent. Pablo, assis sur la banquette arrière, se penche vers elle pour lui souffler à l'oreille:

— Tu es belle, comme ça!

Le cœur de Mathilde bat très fort. Elle doit être rouge comme une tomate, mais qu'importe. Elle est heureuse. Elle prend la main de Daphnée et elle s'y cramponne en hurlant, alors que le wagon plonge à toute vitesse dans le vide.

Pépito, le roi des menteurs

Caroline Merola

À l'école, Pépito est le roi des menteurs. Un matin, après avoir raconté un mensonge de trop, il est puni. Aussitôt mis à l'écart, il décide de s'échapper. En errant, il aperçoit un érable géant et ne peut s'empêcher d'y grimper. Arrive une vieille dame qui lui offre un crayon magique censé faire ses devoirs à sa place.

La queue de l'espionne

Danielle Simard
ill. **Jessica Lindsay**

Les parents de Kolinette sont des savants dont les inventions sont plus originales les unes que les autres. Pourtant, la fillette est jugée trop jeune pour avoir accès à leur laboratoire. Un jour, en les espionnant, elle découvre l'existence de leur nouvelle création : une baguette d'invisibilité.